D0243471

QUIDAM POCHE

DU MÊME AUTEUR

L'Homme de bois, *Bérénice*, 2002
Chiens de guerre, *Bérénice*, 2004
La Veilleuse, *Quidam éditeur*, 2005

Stéphane Padovani

# L'AUTRE VIE DE VALÉRIE STRAUB

Quidam éditeur

ISBN : 978-2-915018-68-4
numéro de publication : 4



Conception graphique et illustration de couverture : Marion Bataille
Le logo est de Moebius que nous remercions de sa générosité spontanée.

*Tu vivras, sœur aux cheveux roux de mon cœur*
*Les morts n'occupent pas plus d'un an*
*Les gens du vingtième siècle*
Nâzim Hikmet

Elle n'aspire plus qu'à la tranquillité des pierres. Donne-lui donc une terre sans tremblements, un pré limité mais où le soleil chauffera son corps, où elle pourra sans grand effort faire pousser des clématites, des muscaris, des pensées. L'hiver laissera un peu de mousse sur son toit en ardoise et dans ses gouttières quelques feuilles mortes avec cette poussière de kérosène tombée des avions en partance pour des plages abstraites, cette substance noire qu'on prendrait pour de la suie, aumône du monde d'aujourd'hui. Donne-lui en partage, en héritage, ce territoire que tu as toi-même reçu, qui t'appartenait à peine. Laisse-la sous la garde des arbres et la vigilance de l'eau qui ruisselle souterrainement avant de reparaître derrière une clôture, un kilomètre en aval de la maison. Laisse-la sous le regard des hérons dont le moindre pas trop appuyé des promeneurs sur la berge provoque l'envolée laborieuse. Donne lui cet espace comme s'il était une portion de temps, une torsion de l'histoire où elle pourrait s'inscrire, trouver la paix, plus petite encore qu'une pierre, intouchable. Oui, que plus rien n'y touche, pas même des mots.

Dès le moment où tu es sortie, c'est une autre époque qui te saute littéralement au visage. Celle que tu voyais et écoutais depuis la télévision de la salle commune ou la radio dans ta cellule, depuis les échanges de lettres et les rares visites au parloir, depuis l'Internet à la bibliothèque et tous ces livres que tu as continué de lire, n'était qu'un écho répercuté de paroi en paroi, écho démultiplié dans l'espace de la citadelle dont on te sortait parfois pour de brefs entretiens avec des juges aux visages fermés. Cette époque ne te reconnaîtra pas. Les gens t'ont oubliée. Ne reste vaguement que le bruit superficiel de tes éclats, d'armes ou de voix, dans un espace social replié comme un linge dans une armoire de réfectoire.

Pourquoi tu t'es battue ? Le monde que tu souhaitais n'est pas advenu, n'aura jamais été que dans des interstices d'espoir, des alliances clandestines traquées par la violence d'État. C'était un monde déjà perdu au moment même où tu l'entrevoyais. Ce combat, il t'a fallu quand même le mener jusqu'au bout, jusqu'à sa mélancolie, jusqu'à une certaine forme de folie, au fond d'une prison.

Ta mélancolie, aujourd'hui, c'est l'arrêt du temps, le présent isolé de ta sortie au monde. Tu marches dans une rue. Chaque pas est le premier et le dernier. Tu sais qu'Isa t'attend au café bleu, près de la gare routière. Elle voulait te laisser ce bout de chemin vers elle, ce court moment de solitude pour sentir l'air vif d'avril, éprouver ton souffle. Trois cents mètres environ. Les voitures ont changé de forme. Elles sont tout en courbes, bosses, bulles, transparences. Tu les avais laissées meubles couchés sur quatre roues.

Valérie, il est de quelle couleur ce panneau ? Rouge. Et la veste du monsieur devant ? Grise. Et les cheveux de la dame, là ? Jaunes. On dit « blonds », mais c'est bien ma chérie. Donne-moi la main Valérie, on va traverser. Tu aperçois les autobus alignés, les vitres du café. Est-ce qu'on peut fumer encore quelque part ici ? Il faut que tu redemandes à Isa. Tu es dans l'intervalle entre le trop-plein d'Histoire et son effacement. Quel devenir pourrait surgir encore, de façon imprévisible, entre ces deux blocs d'espace-temps où tu te tiens, fragile désormais, longeant quelques boutiques et des affiches que tu déchiffres mal ? *Die Hard IV, Retour en enfer...* Le roi Soleil... Meetic... Tout en marchant tu tentes de recomposer ces signes, puis tu les laisses rouler derrière toi comme une poignée de cailloux. Un dernier rond-point à contourner pour retrouver Isa, son regard mouillé de vieille chienne et son corps qui ne s'en laisse pas compter, ses crocs espacés, prêts à mordre. Mais toi, elle va t'accueillir parce qu'elle sait, qu'elle a partagé les huit mètres carrés, qu'elle a vu entendu senti tout ton intime, qu'elle s'est frottée à ta rage, à tes souvenirs, à des chemins de clarté déblayés à quatre mains dans la nuit, dans la solitude d'une encoignure, derrière un matelas renversé, dressé en paravent. Mais le regard des hommes n'est pas du vent... Tu ne l'aperçois pas en poussant la porte vitrée. Un homme assez âgé frotte les tables avec un chiffon. Il vaporise un produit, frotte encore. La fragrance légèrement citronnée se mêle à l'odeur du café. Restent deux croissants dans une soucoupe près de la caisse, un verre de blanc.

Une femme émerge derrière le bar, outrageusement fardée, garnit le présentoir des jeux, toute la panoplie des grattages et des tirages, tickets toc, martingales tristes. Tu t'assois, vérifie ta montre. Isa est en retard. Pas son habitude. Tu n'as qu'à demander un thé.

*

Il est de toute première instance que la femme Valérie Straub, terroriste notoire, demeure suivie en milieu ouvert. Il est indispensable de procéder à son contrôle permanent afin de situer sa position à chaque instant et, pour cela, d'utiliser tous les relais visuels nécessaires. Il est de toute première instance que tous ses contacts soient vérifiés et répertoriés. Il est de toute première instance de limiter son accès aux médias, d'anticiper sur les projets d'une quelconque diffusion de sa parole, de ses témoignages ou de ses élucubrations post-terroristes. Il est indispensable de circonscrire ses déplacements, d'enregistrer ses moindres conversations, mais aussi de laisser suffisamment de champ autour d'elle pour endormir sa vigilance. Il est enfin tout à fait essentiel que la capacité de nuisance d'un tel personnage ne soit jamais sous-estimée, et que toutes les mesures soient prises pour en éliminer le risque, quand bien même la femme Valérie Straub affecterait de mener une vie paisible.

*

La porte des toilettes au fond continue de battre quand elle se dirige vers toi. Ce n'est pas Isa. Elle tient haut son regard et bien droit son dos. On la croirait talons aiguilles au lieu d'espadrilles, et pourtant cette paire bleue avec le jean et un chemisier rouge. Tu remarques le cahier assez épais qu'elle pose sur la table avant de s'asseoir. Tu prends les devants :

– C'est Isa qui vous envoie ?

– Non... Pardon... Qui dites-vous ?

– Une amie. Elle devait venir me chercher. Elle va arriver.

– Sûrement. Désolée de vous aborder comme ça. En fait je savais que vous sortiez aujourd'hui, alors...

– Vous êtes journaliste ? Dégagez. Je n'ai rien à vous dire.

– Non, pas du tout. Je suis, j'étais la femme de Simon.

– Ah, oui... Alors c'est moi qui suis désolée. Mais vous savez, je ne le connaissais pas, Simon ; c'était un petit garçon quand je suis partie. Il a dû vous dire...

– Oui. Bien sûr. Mais il vous a contactée plusieurs fois. Et puis il a laissé quelque chose pour vous.

– Je ne veux rien.

– C'est ce cahier... Il voulait que vous l'ayez en mains propres, ce sont ses mots. En fait il avait peur que vous le jetiez dans un coin.

– C'est peut-être ce que je vais faire. Vous l'avez lu vous ?

– Non, évidemment pas. Mais vous le lirez un jour.

– Je vous l'ai dit, Simon et moi... Je n'ai plus de famille depuis longtemps, sauf celle que je m'étais choisie. Et celle-là aussi je l'ai perdue.

– Je ne vous demande pas, enfin... d'être compatissante, mais juste d'accepter son présent.

Tu poses tes mains sur le cahier et c'est déjà trop tard pour le repousser. Les mots grouillent là-dessous, bruissent sous la couverture, la craquellent, la grignotent. Ils vont bientôt monter le long de tes bras comme une armée de coccinelles ou de mouches noires, de fourmis ou de papillons. Tu tournes le cahier en y cherchant peut-être une trace de coup, une cicatrice intérieure. Tu as peur de l'ouvrir.

– On verra.

– Merci. Je vais vous laisser. Je vous souhaite du courage, pour tout...

Tu baisses de nouveau les yeux vers ce cahier dont les couleurs sont chaudes, et quand tu lèves la tête, à la recherche de quelques paroles vraies pour cette femme que tu pourrais appeler « belle-sœur », parce que belle, oui, et sœur de ce court instant, elle n'est plus là. C'est bien Isa qui tire une chaise pour s'asseoir et te prendre les mains.

– Je suis un peu à la bourre. J'ai dû convaincre encore les gens du comité de soutien qui voulaient passer outre ta demande et venir manifester. Tu m'en veux ? T'en fais une gueule ?

– Tu as vu la jeune femme qui vient de sortir ?

– Quelle jeune femme ? Non. Ça ne va pas Valérie ?

– Si, si. Qu'est-ce que tu veux boire ?

– Ben un café. On picolera ce soir toutes les deux. Si ton cœur tient le coup, la vieille.

– Ce sont les poumons qui déconnent le plus. Et je te rappelle que je suis plus jeune que toi.

– C'est ce qu'on verra. Et ça ? C'est ton journal ?

– Oui.

Tu fais disparaître le cahier de Simon dans ton sac. Le patron allume les télés. Il y a du tennis sur Eurosport.

– En tous cas je suis contente qu'il n'y ait que toi. Je sais qu'ils ne comprennent pas. Ils m'en veulent parce qu'ils m'ont aidée. Mais je les ai déjà remerciés pour ça. S'ils me veulent libre, il faut que je le sois jusqu'au bout, que je n'agisse pas en fonction d'eux. Tu vois Isa, je sais ce qui est arrivé à la société, au monde qui a continué sans nous, mais je ne sais toujours pas très bien ce qui m'est arrivé à moi, Valérie Straub, et j'ai besoin de le savoir.

*Ne venez pas me reprocher le vide. Comme si j'avais, à force de me taire, engendré une pandémie de silence, un virus avaleur de mots, de pensées informulées, d'histoires, d'infos, une espèce de trou noir à rendre les pages blanches, à aspirer tout le reste, l'imprimé, l'impression et jusqu'aux voix qui peuplent l'aujourd'hui. Ne venez pas me dire que j'ai vidé la langue de sa substance, que j'ai fait dessécher ou pourrir sur pied la moindre tentative de parole clairvoyante, juste, que j'ai défenestré la colère, l'indignation, parqué la révolte, alimenté la peur jusqu'à en vider la vessie des villes. C'est vous qui avez fait le travail. Est-ce ma faute si les arbres se dénudent et se pendent, font des autodafés de leurs feuilles ? Si leurs oiseaux sifflent des chants hitlériens ? Si le meilleur film de l'année a été tourné par une caméra de surveillance ? Est-ce par hasard ? Ne venez pas me l'imputer. Ne venez pas me dire que j'ai tout gâché. À vous écouter, j'aurais pu être belle. J'aurais pu faire trois ou quatre enfants au lieu de ce ventre vide. J'aurais pu poursuivre mes études, avoir un poste à responsabilité. J'aurais été utile et, si vraiment la fibre sociale vibrait en moi, que n'ai-je fait de l'humanitaire ou un métier altruiste au lieu de vider mes chargeurs sur la police et le grand patronat ? J'ai tué deux personnes, cela vous pouvez me le dire. Mais ce vide que j'ai produit est le seul dont j'assume la responsabilité. N'en attendez aucun repentir. C'est entre moi et moi. C'est mon vide. L'autre, ce vide immense qui est vôtre, je vous le laisse.*

*Ne venez pas me dire que j'y ai ma place, mon rôle à jouer. Je suis toujours en guerre. Et toujours prisonnière. Ce vide n'est pas de mon ressort. Vous l'avez laissé s'installer, gagner les rues et les cités, les marges, les centres, les lieux institutionnels et les clandés. Vous l'avez laissé gagner la langue et ses pourparlers. Si on le perfore encore, parfois, ce vide invisible, si on en crève ici ou là la peau de méduse, s'il s'échange encore des commerces presque illicites, imprévus, incontrôlés, vous n'y êtes pour rien. Ni moi non plus. Ne venez pas me dire qu'à chaque pas que je fais, un vide se crée, qu'à chaque mot je risque d'y tomber. Je le sais. J'avance pourtant. Que faire d'autre ? Enlevez votre pouce de ma carotide, que l'air circule encore, la voix. Ne venez pas.*

Amélie Mauresmo vient de gagner le second set 6-3. Les tables commencent à se remplir peu à peu. Isa fait tourner les clefs de sa vieille Twingo autour de son index.

– Viens, allons-y, dit-elle enfin.

La voiture d'Isa sent encore le chien de l'ancien propriétaire, l'eucalyptus chimique, le tabac froid, mais je m'y sens bien. Sur France Inter, on annonce les dernières mesures du gouvernement. Isa me dit que je suis sortie au pire moment, et tout de suite elle s'excuse, corrige en me disant que le plus tôt était le mieux, qu'elle n'en pouvait plus de m'attendre, qu'on s'en fout, que je peux mettre de la musique.

C'est un vieux radiocassette qui tousse et crache un son dolby antédiluvien, mais ça ne nous empêche pas d'écouter Leonard Cohen et Lou Reed. Je n'écoutais pas de musique en prison, trop consciente d'habiter un lieu inhabitable, désenchanté. La musique n'y trouvait pas sa place. Impossible de m'en faire une bulle protectrice comme certaines détenues. J'avais trop besoin de silence. Seuls les livres et l'étude m'en donnaient. Mais là, soudain, dans la voiture d'Isa, je redécouvre ce plaisir tout simple d'écouter une bonne chanson, cinq minutes d'émotion et d'évidence, l'alliance entre voix et instruments, la voix grave et traînante, douloureuse, de Leonard Cohen, dont on se dit pourtant qu'aucune peine, aucune épreuve ne pourrait la noyer tout à fait. Mélange d'anglais et de français. Je retrouve cette complicité des deux langues dans ma gorge. Je les fredonne et les mâche comme une nourriture nouvelle. Elle s'emplissent comme seules les langues peuvent le faire de sexe et de mystère, de failles et de forces, d'offrandes et de frondes. Je ferme les yeux pour la première fois depuis longtemps sans me dire que j'aurais peur de les rouvrir. Je n'entends presque plus Isa qui me parle encore, change les rapports de vitesse. Nous nous engageons dans un labyrinthe de lotissements aux façades blanc-crème, couverts de tuiles rouges. Il y a un petit portail à la peinture écaillée et trois poubelles pour le tri sélectif.

– Donne ta valise, viens...

Je marche derrière Isa, un peu chancelante. La chaleur m'oppresse tout à coup et je respire mal.

*

Je me suis étendue sur le canapé et j'ai dormi onze heures d'affilée, à ce qu'Isa m'a dit. Un sommeil de plomb, plein de rêves pourtant. Dans l'un d'eux, j'étais devant un très vieil arbre, un châtaignier peut-être, ouvert en son milieu comme par un obus. Une partie du tronc se desséchait, déjà morte, mais l'autre verdissait et quelques feuilles palpitaient encore à la ramure. Au centre de la béance, dont le pourtour se hérissait de striures d'écorce, de copeaux affutés, quelque chose comme un petit animal bougeait. Ça respirait très vite sous l'effet de la peur. J'ai tendu ma main vers le trou et j'ai senti une morsure, mais lorsque j'ai retiré ma main, elle était indemne. Un peu plus tard je crois, j'ai rêvé d'une tombe face à la mer. Puis j'ai été au bord d'une route à faire du stop, une large route où des camions venaient régulièrement m'éclabousser. Je me disais que je devrais peut-être faire un pas en avant pour que l'un d'eux me fauche, mais je ne le faisais pas. Ensuite un semi-remorque s'est arrêté à ma hauteur. Je ne voyais pas le conducteur. À la vitre côté passager, le petit Simon me faisait signe de monter...

Au réveil, la bouche pâteuse, j'ai retrouvé le sourire d'Isa qui m'avait préparé un jus d'orange et des gâteaux secs. Nous les avons grignotés en silence, dans la paix d'un dimanche sans va-et-vient ni claquement électrique des portes.

– Après-demain, a dit Isa, nous irons voir Pablo à la pépinière. Tu commenceras le boulot la semaine prochaine. Ça te laisse encore un peu de temps pour te reposer, trouver tes marques ici.

– Tu crois que je saurai ?

– Tu seras formée. Tu verras. Il est bien. Il prendra le temps avec toi.

– Il aime faire dans le social, ton planteur d'arbres...

– Sa famille est espagnole. Je crois qu'ils en ont bavé.

– Tu parles...

Je ne sais pas pourquoi j'ai fondu en larmes tout à coup, moi qui n'avais pas pleuré depuis des années. Il y avait des hoquets qui grinçaient comme de vieilles poulies, le bruit d'un seau d'eau qu'on cogne contre les parois d'un puits, un sifflement de robinet plein d'air, mais curieusement ça faisait des pleurs...

– Tu vois, Isa, on a tant désiré la Révolution. Un idéal de justice et de bonheur pour tous. J'étais prête à tuer et à mourir pour cela. Et je l'ai fait. J'ai tué, et je suis morte aussi... Mais les gens continuent de payer leurs impôts, ceux qui peuvent, ceux qui ne trichent pas avec le fisc, et de continuer à vivre, à s'acheter des gadgets informatiques, à s'inquiéter pour l'avenir de leurs gamins, à tomber malades ou amoureux, à regarder le match à la télé. Et moi je suis de retour. Je pensais avoir programmé ma sortie mais je n'ai envie de rien. Qu'est-ce que je vais bien pouvoir faire de moi ?

– Tu trouveras, Valérie.

– C'est comme ces cons de RG. Ou je ne sais plus comment ils s'appellent maintenant. Je les ai repérés. Ils ne comprennent pas que la femme qu'ils suivent n'existe plus. Et pourtant je ressens encore une grande colère, une grande indignation en moi. Tu comprends ? Qu'ils ne comptent pas sur moi pour demander pardon.

– Il faut que je sorte ma belle, lance Isa en se maquillant dans le miroir de l'entrée. Marc est rentré hier. Il a peu de temps. On doit se voir s'il a réussi à s'échapper.

– Tu devrais le quitter. Non. Pardonne-moi. Tu as raison, vas-y...

– Je ne sais pas.

Isa recoiffe la femme de cinquante ans, un peu sceptique sur l'affaissement léger de sa poitrine et les rides plus visibles du cou, qu'elle entoure d'une étole.

– Bon. Je rentrerai tard. Fais comme chez toi surtout.

– Je ne sais pas comment on fait comme chez soi...

J'ai traîné un peu dans la maison, fait une vaisselle, remué quelques journaux. Puis je suis allé chercher le cahier de Simon.

« Pendant longtemps, tu ne m'as pas manqué. Tu es partie si tôt et tu étais si grande. Je devrais dire si haute... Je marchais dans les rues entre maman et toi comme entre deux femmes dont la seconde ne me prenait jamais dans ses bras, ne m'adressais que très rarement une parole ou un regard. Je n'étais qu'un têtard un peu geignard, une petite chose volubile et pénible sur laquelle tu essayais de ne pas marcher ou t'asseoir par inadvertance, que tu déplaçais un peu quand tu t'installais dans le canapé du salon. Ta chambre était un sanctuaire toujours fermé à clef, d'où sortaient d'étranges musiques, de la fumée parfumée, des rires, des éclats de voix, des phrases auxquelles je ne comprenais rien. L'un ou l'autre de tes amis ou de tes prétendants me faisait parfois un clin d'œil en passant, me décochait une bise ou m'ébouriffait les cheveux. « Il est mignon ton frère. » Tu ne répondais pas. Nous vivions dans des sphères séparées. Je me souviens encore des disputes à table. Je ne sais pas pourquoi j'étais toujours à te défendre sans rien entendre à vos divergences politiques où aux actualités que vous commentiez, papa et toi. Et puis il y avait tous ces autres conflits que je devinais. Tu sortais trop et trop tard. Tu choisissais tes matières au lycée, capable d'alterner des deux et des dix-huit. Tu ne partais déjà plus en vacances avec nous. Je te voyais glisser d'une pièce à l'autre, un peu fantomatique, amaigrie après ta méningite. Tu avais cessé tout à fait de parler. J'ai encore en mémoire la beauté de tes seins dans la salle de bains, ta façon de dire « C'est ça... » en faisant la moue, de boire d'un coup sec et jusqu'à la fin tout ce qui était dans ton verre. Un matin, je ne sais pas ce qui t'a pris, tu t'es approchée de moi avec un air espiègle et tu m'as chatouillé jusqu'à ce que j'en pleure et suffoque tant je riais. Tu m'avais griffé au passage, et j'ai gardé ces marques comme des scarifications sacrées pendant toute une semaine. C'était peu de temps avant tes sacs sur le pas de la porte. Tu as filé un jeudi. Les parents n'étaient pas là. Tu m'as dit au revoir très vite, sans m'embrasser mais juste en posant une main sur mon épaule. Tes yeux brillaient d'une mélancolie sourde et de beaucoup d'exaltation. Le moteur d'une R16 tournait en bas, avec deux jeunes hommes. J'ai à peine entendu ton pas dans l'escalier. Je me suis éloigné de la fenêtre avant que tu sortes et je suis allé mettre les dessins animés. J'ai continué sans toi.

Valérie, je pourrais te raconter ma vie dans ce carnet, te dire comment j'ai tenté, tant bien que mal, d'en suivre le cours et de l'infléchir parfois. Je pourrais te livrer en vrac les notes et les parcelles autobiographiques que j'ai écrites entre deux fictions, quelques fragments de journaux et trois cahiers de voyage, mais je sais que tu t'en fous. Même mes livres, je sais que tu ne les a pas lus. Tant pis. Je voulais que tu saches. Ce jour d'avril 83 où j'ai appris ton arrestation, ce que tout le monde espérait tant, je suis sorti dehors et j'ai crié. Ils voulaient t'arrêter, c'est ça, et qu'on te fasse rentrer dans l'ordre, qu'on t'immobilise, qu'on te fasse taire, qu'on te protège de toi-même et qu'on endigue ta folie, disaient-ils. Je le redoutais, moi, et quand tout a été fini, j'ai hurlé. Je me foutais bien à cette époque de ta guerre, de ton engagement que je ne comprenais pas, de cette lutte armée, clandestine, qui me terrifiait. Mais je ne supportais pas l'idée qu'on stoppe ta course, ta cavale disaient-ils, et je prenais ce mot au sens propre, et je t'imaginais cavalant, galopant et sautant au-dessus des haies de flics, au-dessus des murs, des barrières de péage et des barrages, sans jockey ni toque ni casaque mais comme un cheval indien, avec sur l'encolure des peintures sauvages que tu te serais faites toi-même, aussi invulnérable que le cheval de Guernica dans le chaos des bombes, malgré la peur et cette mort partout tombée.

Je le supportais mal, mais je te supportais, toi, comme si tu pouvais encore gagner. J'ai suivi ton procès pas à pas, sans me montrer ni me faire reconnaître. Plus tard encore, j'ai tout lu sur toi et les tiens. J'ai découvert la chronique de « cet acte funèbre de fidélité au passé auquel vous vouliez croire », comme l'écrivit cet autre combattant derrière les Alpes. J'ai compris certaines choses, mais je ne savais toujours rien de ma sœur. Quand la dernière porte et le dernier barreau ont été placés entre toi et la vie, que tout était bel et bien à l'arrêt, et pour très longtemps, j'ai pris la suite. J'ai voulu te donner des mots pour continuer, même à distance. Pendant que tu survivais à l'isolement, dans ton quartier de haute solitude, j'ai écrit ta vie du dehors. J'ai tout inventé, osé. Il ne pouvait y avoir de bornes à cette liberté-là. Mon plus beau cadeau serait que tu le lises, quand tu voudras, qu'il te vienne un peu de vie de tout ce fatras fictif : « La vie de Valérie Straub ». Il n'a jamais été publié, jamais lu, pas même par Anne, ma compagne. Je l'ai gardé pour toi, dans ce carnet, avec ces quelques arpents de terre bretonne qui me viennent de l'oncle Émile, et que je te lègue. Tu les trouveras quand tu en auras besoin...

Valérie, je suis malade. Peu importe de quoi. Certaines choses ne se guérissent pas, tu le sais sûrement. J'ai souscrit une assurance-vie, bien que le terme me fasse rire. Ma famille est à l'abri. Peut-être voudras-tu les connaître un jour. Sinon tant pis, ils ne t'en voudront pas. Je les ai préparés autant que possible. Je leur laisse la mélancolie, qui est justement l'absence de deuil, la possibilité maintenue de la mémoire.

Je ne sais pas d'où je te parle. Il me semble tenir tout entier dans le plan de la feuille, ses limites, les deux dimensions sans horizon. Il n'y a pas de hors-champ. Il n'y a pas toi et moi hors de ce plan où tu poses les yeux, j'espère, et où je ne cesse de m'inscrire. Tu es seule à me lire comme j'ai été seul à t'écrire. C'est une relation à double sens unique, sans Autre. J'habite cet espace, ce plan, comme j'ai tenté d'habiter la terre, en essayant de ne pas être indifférent à tout ce qui excède, entoure et traverse ma parole. En ouvrant mes narines et mes yeux, en passant ma main sur l'écorce des arbres, en écoutant bruire la vie pour démêler quelques lignes claires, si peu de lignes... On peut s'épuiser à la surface de la feuille pour la marquer, mais on ne fatigue pas le plan, on ne sculpte pas les mots. Le papier se troue ou se déchire lorsqu'on s'y appuie trop fort. Pourtant quelque chose de moi te parvient peut-être, j'ose le croire. C'est ce qui me tient lieu de foi au moment de disparaître. En habitant ces deux dimensions, je ne prétends pas te donner des mots qui, de toute façon, ne m'appartiennent pas. Mais je te rappelle que tu peux les lire. Je te rappelle à ce geste primordial, à cette capacité, à ce désir du langage comme signe de vie. Et je me rappelle le secret d'un geste créateur qui fut mien, même si je l'ai perdu. Je te donne ma nostalgie pour que tu la transformes en espérance, en espérance.

S'il se passe des phénomènes étranges dans ce cahier, n'en sois pas surprise ou inquiète. C'est mon amour pour toi qui continue ses fluctuations et son voyage, varie et se transforme suivant les cycles d'un corps organique, se dessèche, s'humidifie, croît, flétri, tombe, meurt et se recompose en une écriture qui ne sera jamais totalement fixée, qui ira se déposer comme un pollen pour refleurir plus loin, aux endroits et aux moments les plus improbables, les plus inattendus de ta vie. Car tu vivras désormais. J'en appelle à ta résistance, à tout ce que ta violence n'a pas détruit et à cette violence même, j'en appelle à ton rire muré et à la vaillance de tes reins, à ta curiosité, à ta danse sous la pluie des jours.

Tu me retrouveras plus tard, quand tu en auras fini avec ce cahier et avec tout ce que tu dois porter en terre. Oui, tu me retrouveras au bout d'un chemin un peu raide et bordé de ronces, de genévriers et de fougères, parmi quelques stèles un peu fades et grises, à la pierre grêlée, où tu t'assoiras un moment afin de reprendre ton souffle, et tu sauras que je suis ton frère. »

Valérie s'est endormie, le cahier entre les bras. Isa l'a crue morte en entrant tant elle n'était pas dans la posture du sommeil, mais dans un corps perdu. Elles ont ri de cela, de cette peur vite levée par le souffle et les étirements, les paupières frottées. »

★

Le vent frotte fort la ville, comme souvent. Les rues en sont plus rouges. Venu de la mer et porteur d'orage cet après-midi, il ira se lancer contre les montagnes jusqu'à la tombée de la nuit, avec la même obstination qu'Isa met à me traîner de boutique en boutique, me faire acheter quelques vêtements qui puissent ressembler à une femme d'aujourd'hui. Mais y croit-elle elle-même, tandis que la scie des radios passe et repasse entre deux cintres, que je palpe des tissus multicolores comme une monnaie étrangère, tee-shirt et pantalon *made in China*, que je fonds et me décompose derrière le rideau d'une cabine d'essayage, que mon âge me saute au visage ?

Ce corps, dont je n'ai su que faire toutes ces années, se réimpose en tous ses déséquilibres, sous toutes ses coutures, et c'est un peu la créature de Frankenstein qui répond « Non je ne crois pas... » au rituel « Tout va bien Madame ? » des vendeuses évanescentes.

Nous voilà dans la rue, avec quelques fringues fourrées au fond d'un sac. Allons boire un verre, me propose Isa pour me remonter, quand là je n'ai le temps de rien voir venir, ni le poing du grand chauve dans mon ventre, ni le coup de botte d'un teigneux barbu qui l'accompagnait. Et les insultes, « Salope », « Sale pute », les « Tu vas crever », je les entends bien pourtant, pendant qu'ils s'enfuient en criant et qu'Isa me ramasse. Les gens passent autour de nous, me dévisagent comme une coupable, comme si c'était moi qui venait de frapper. Étrange retournement. Isa veut me conduire à la pharmacie la plus proche. Je refuse.

– Tu vois, rien n'est fini. Alors ce verre, on va le boire ?

Trois jours ont passé. Je sens encore dans mon ventre le coup de poing de mon agresseur. Tous mes muscles sont contractés. J'avale du Spasfon Lyoc. Hier je me suis endormie en chien de fusil, le cahier de Simon contre moi. Étrangement, j'ai senti sa chaleur se diffuser en moi, comme celle d'un petit animal. Ses mots flottent encore dans mon sommeil.

Nous sommes en route vers la pépinière. Nous rencontrons aujourd'hui les employeurs d'Isa, Clara et Pablo. Isa conduit vite. Je ne sais ni qui ni quoi elle essaye de semer. Je vois ses yeux rivés au rétroviseur. Elle prend sur sa droite d'un mouvement sec. Nous quittons la nationale pour un chemin de terre. Sans transition. Trois cent mètres à découvert puis cette forêt en contrebas, inattendue, invisible depuis la route précédente, dans laquelle nous basculons. Des conifères, à ce qu'il me semble. Je n'y connais pas grand-chose. Des troncs épais, serrés les uns aux autres, un toit de branches très dense. Isa doit même allumer ses phares. Un tunnel. Des cratères qu'Isa contourne en grognant.

– C'est de pire en pire ce chemin.

– Elle est à eux cette forêt ?

– Non, pas du tout. C'est derrière. On n'y est pas encore.

Isa pile tout à coup. Un chevreuil face à nous, immobile. C'est moi qu'il semble regarder. Ses bois dessinent une lettre grecque : epsilon. Son pelage brille. Deux bonds et il n'est plus. Isa se range sur le côté, sort, allume une cigarette.

– On ne fume pas dans une forêt, lui dis-je pour la taquiner.

– Tu parles, avec l'humidité qu'il y a ici. Il m'a fait peur ce gros con.

– Arrête. Il était magnifique. Qu'est-ce que tu as ce matin ?

– Je ne sais pas. J'ai peur pour toi. J'ai peur sans arrêt depuis ces types.

– On ne va pas recommencer. S'ils veulent me trouver, c'est facile. Je ne veux pas vivre en pensant à ça.

Je fais quelques pas devant les phares. Mon ombre s'allonge devant moi. Je la suis. À vingt mètres, j'aperçois un arbre ouvert par la foudre. Presque identique à celui de mon rêve.

– Tu viens ? On y va...

Isa a repris le volant. J'hésite. Mon cœur bat. Il me semble qu'un autre monde m'attend, dans cet arbre. Qu'il ne tient qu'à moi d'y entrer. Isa klaxonne mais je continue. L'odeur de résine m'enivre. Les épines sous mes pieds glissent doucement dans un chuchotis de neige. Je passe l'arbre ouvert et gagne un talus. Derrière un amas de ronces, il y a cet énorme trou d'eau, comme une carrière noyée. Je descends la pente. La voix d'Isa me parvient de si loin que je ne la reconnais plus. C'est la voix de ma mère que j'entends. Valérie, je t'ai dit de faire attention. Viens ici Valérie. Je n'écoute pas. Je descends encore. Dans le trou d'eau, il y a plusieurs chevreuils, en décomposition. Et au milieu d'eux le corps de celui qu'il y a longtemps nous avions exécuté, au nom du prolétariat français.

Je retrouve ma place auprès d'Isa. Elle me dit que je suis livide. Je m'en fous. Au sortir de ce bois, le paysage s'éclaire enfin. Nous retrouvons une route goudronnée, puis des champs, des hectares de plants couverts, des serres, un chemin sinueux jusqu'à une cour pavée bordée d'une longère. Une fillette se tient sur le seuil. Elle est rousse, comme moi. Le lierre sur la façade encadre son corps immobile. Elle tient un biscuit à la main, prononce des mots que je n'entends pas. Arrive un homme qui passe de longues mains sous ses aisselles, la décolle hirondelle, lui fait raser le sol. Il semble énorme à côté d'elle, un amoncellement de pulls et de gilets sur lui. Des cheveux ras. Barbe de trois jours. Et ces bottes rouges...

– C'est vous l'ogre du royaume ?

Je lui tends la main, aussi surprise que lui. Les mots ont été plus vite que moi.

– Tout juste. Pablo. Et vous, dit-il en jetant un regard de connivence vers Isa, c'est Peau d'âne, j'imagine...

★

Comment te dire cette journée, Simon ? Comment écrire aux marges de ton cahier, qui joue avec moi, déplace ses paragraphes, change l'ordre de ses pages ou les efface, ajoute, retire, me laisse des trouées qui se referment dès que je pose un mot. Et puis tout à coup, toutes ces pages en plus, pour que je continue... Tu m'avais prévenue.

Dans quel univers suis-je entrée ici ? Tout a commencé de façon très concrète, en apparence. Clara m'a accueillie, une longue femme au visage ovale, comme détaché des épaules, aux cheveux noirs, tout droit sortie d'un

Modigliani. Le réseau de ses trois enfants actifs comme des fourmis. Ils me prennent la main. Ils m'entraînent. Je suis rétive à ce genre de contact mais là, désarmée, je me retrouve à boire un thé à la cannelle, la tête d'un épagneul sur les genoux, de la paperasse partout, dans un bureau tapissé de photos, de livres et de plantes sèches.

– Avec les travaux de replantage, je suis trop prise en ce moment, il me faut quelqu'un pour le secrétariat. Et puis je préfère travailler dehors ou dans les serres, comme mon frère. De plus en plus; la comptabilité m'assomme. J'ai multiplié les erreurs ces derniers temps, les oublis. Je n'y suis plus. Il faut gérer l'accueil aussi, une vingtaine de clients certains jours... Vous avez passé un diplôme de gestion en prison, je crois.

– Oui, à vrai dire, je comptais travailler en extérieur aussi....

Le visage parfait de Clara se décompose un instant, dans la confusion.

– Évidemment. Je suis stupide. Mais vous ne serez pas enfermée là. Pablo va tout vous montrer.

Je regarde toujours Clara et sans réfléchir je lui demande soudain si je peux dormir là cette nuit, juste sur ce fauteuil où je me trouve. Je lui dis que je ne veux plus repartir.

*

Une heure plus tard, Simon, nous cahotons dans la camionnette de Pablo. En route vers le village de C.

Sa voix me rappelle celle d'un garçon, d'origine espagnole lui aussi, avec qui je collais des affiches, il y a longtemps. Nous faisions parfois l'amour à l'arrière de sa camionnette, sur les paquets de tracts et dans l'odeur anisée de la colle. Je ne sais pas ce qu'il est devenu, mais je l'imagine bien avec ce visage et cette voix, avec ce corps cinquantenaire de l'homme qui conduit près de moi tout en parlant.

– En fait ici, le plus gros du boulot se fait en automne et en hiver. C'est là qu'on produit et qu'on développe toutes sortes de végétaux ; pas seulement les conifères que vous avez vus mais toutes sortes d'arbustes fruitiers, de plantes vivaces, de rosiers aussi. On a cent trente variétés à peu près. Vous verrez, il y beaucoup à faire. Entre le semis, le bouturage, le greffage, le marcottage, on n'arrête pas. En été, on vend. Les vacances, nada.

Autant le savoir. Mais ça ne veut pas dire qu'on ne fait pas de pause. En fait, souvent, on ne fait rien. On regarde. Il faut savoir regarder. C'est un job de manuel contemplatif.

– Et où on va comme ça ?

– Chercher du matériel. Un râteau, une pelle, un seau, ce genre de choses.

– Pour faire des pâtés de sable ?

– Exactement.

On entre dans la commune de C, trois places, une église et une supérette. Pablo se gare devant le Crédit Agricole.

– J'avais seize ans quand je suis arrivé ici. Il n'y avait pas grand-chose de plus ni de moins. Je ne savais pas un mot de français. À dix-sept ans, j'ai commencé. Je me suis occupé des roses au début.

– Je peux savoir pourquoi vous m'avez engagée ?

– Parce qu'Isa me l'a demandé. Parce qu'il y a du travail pour cinq et que nous ne sommes que quatre. Parce que j'ai lu votre thèse, *Érosion et renaissance dans l'œuvre de Charles Juliet*. Ça vous étonne ? Avoir de la terre sous les ongles n'empêche pas de tourner les pages. Ma mère était une grande lectrice et

mon père pas du tout, mais il disait souvent que les plantes et les livres sont faits l'un pour l'autre. Demain vous verrez cet ours de Jean-Michel. Bon, on n'attaque pas la banque, hein ? On retire juste de l'argent.
– Je vous attends là...

J'aime que Paco ne glousse pas de ses propres bêtises mais qu'il plisse à peine les yeux comme pour s'en excuser. Qu'il ne soit pas son propre spectateur quand il parle ou quand il se tait. Il a laissé les clefs sur le contact, et j'ai envie de démarrer. Le planter là. Je suis prise d'un rire dont je ne sais que faire. Je suis prise d'un désir dont je ne sais que faire. Tout à coup la vie m'envahit et je ne sais plus comment lui faire de la place.

*

Voilà, Simon. Je suis restée. Le soir Isa est repartie sans moi. Je l'ai serrée fort dans mes bras, sous l'œil approbateur et un peu mouillé de l'épagneul.

Jour après jour, Pablo me raconte les plantes. J'apprends aussi comment sa famille a poussé, sur une terre andalouse recouverte d'oliviers. *Tu sais que l'olive est plus riche en calcium que le lait, hein, Vale ?* Deux grands-pères morts pendant la guerre civile, un dans chaque camp. Le père horticulteur, qui perd tout. Incendies. Une mère musicienne, qui a connu Manuel de Falla. Ils chantent ensemble au piano. Pablo aime chanter. Et il aime les fleurs mais il a des problèmes avec une rose. Il a seize ans. Il l'aime comme un fou. Elle en épouse un autre. Il vient en France. Plus tard, son chemin fait, il fera venir sa sœur dont le mari s'est tué sur la route. Clara et ses trois enfants. *Et tu sais que l'olivier a des racines très denses. Avec le temps ça forme un ensemble compact qu'on appelle la matte, Vale, mais moi je ne fais pas d'olivier. Pas assez de lumière ici.* Clara lit tout ce qui lui tombe sous la main quand elle n'est pas à veiller ses plants.

Le soir nous parlons. Nous nous apprivoisons. Isa est un peu jalouse mais elle ne dit rien. Clara me prête des auteurs sud-américains, Roa Bastos, Carlos Liscano, qui a fait treize ans de prison en Uruguay.

C'était comment la prison, me demande Pablo ? Moi je m'en fous de comment c'était parce qu'il n'y a plus que son corps et le mien qui comptent, qui se boivent l'un l'autre et se laissent couler de leurs bouches pour mieux se lécher et se reboire encore, et de cela je suis plus sûre que tout ce que j'ai vécu de non-vie en prison, et il n'y a rien à répondre. Des récits de prison, j'en ai lus et entendus, Pablo. À tel point que mon propre récit se confondait avec eux, s'altérait, se dénaturait, finissait par se fondre dans le récit carcéral unique, le grand tout prosodique de l'enfermement. Je ne veux pas retourner dans ma taule, même en récit. C'est un récit foutu et je ne souhaite même pas le recycler, comme toutes les choses que l'on trie de nos jours et que l'on réinsert dans le quotidien. Ce n'est pas du temps récupérable ni biodégradable mais plutôt comme ces vieux appareils ménagers en train de rouiller dans un bois, sales, moches et inertes, de ces vieilles machines à laver qu'on croisait dans les promenades dominicales avec nos parents, larguées en douce loin des décharges. Du temps bien dégueulasse, du vestige des trente glorieuses, à l'image de ce qu'on produisait alors. Bien sûr j'ai étudié, j'ai appris certaines choses, dans le face à face avec soi, avec les livres. Mais tout ce qu'il y a eu autour, ces histoires de prison, je les oublie. Mon histoire est là à présent, sous les mains de Pablo et dans les miennes, dans les intervalles qui me restent à parcourir. Et je me dis que je n'aurais pas trop d'une troisième vie pour me rejoindre.

*

Mais l'histoire ne s'arrête pas là, Simon. Tu t'en doutes. Car il y a toujours la forêt avoisinante, la forêt de l'arbre ouvert et du trou d'eau, des chevreuils noyés. Et les forêts n'abandonnent pas facilement leurs maléfices.

Ce soir-là nous fêtons mon arrivée. Il y a un an que je vis ici. J'ai la tête pleine de musique et des rires des enfants des baisers de Pablo des amis qui parlent fort et du vin de Catalogne, commandé pour moi. Je transgresse l'interdit du médecin pour griller une cigarette dans la cour, mais je ne suis pas la seule à faire claquer mon briquet.

– Belle nuit, Straub, n'est-ce pas ? Que d'étoiles !

– Que faites-vous là ? Qui êtes vous ?

L'homme est grand, épaulé, cheveux gris et les yeux d'un bleu métallique. Son costume est impeccablement taillé. Il a de fins gants de cuir qu'il retire avec lenteur.

– Il y a longtemps que je vous attends. Je suis Patrice Cabon d'Astiers. J'imagine que ce nom ne vous est pas inconnu. Vous m'avez privé de mon père, vous et votre bande. Vous l'avez lâchement assassiné, et que la justice vous ait condamnés à quelques années de prison ne change rien pour moi. J'ai toujours voulu savoir ce que vous aviez vraiment dans le ventre et si le mot honneur pouvait vaguement éveiller un souvenir, faire naître une étincelle de courage. J'ai la passion des duels, voyez-vous. C'est une longue tradition familiale. Et plutôt que de me venger et me débarrasser de vous comme l'animal nuisible que vous êtes, ce que je pourrais faire facilement, je viens vous défier. Je vous attendrai à cinq heures, au bois derrière la pépinière de votre ami, avec deux témoins.
– Vous êtes complètement fou...
– Vous pouvez refuser bien sûr, je m'y attendais. Mais sachez que je reviendrai vous provoquer, dans un mois, à la même date, puis dans un autre. Après la troisième

fois, si vous vous esquivez toujours, je vous ferai descendre, ici même.

Pour achever son discours il s'approche de moi et me gifle violemment de son gant, puis il tourne les talons.

Je ne peux croire ce que je viens d'entendre.

Je regagne la fête dans un état second mais je donne le change. Plus tard, quand tout dort, même Pablo près de moi, je me relève, je retrouve ton cahier. J'ai besoin de toi, Simon. Que vais-je faire ? La raison me dit de rester, d'en rire, peut-être d'appeler la police, de prévenir Pablo, Clara, Isa, mais qui me croira ? Straub, comme il m'a nommée, comme on m'appelait en prison, irait. Elle relèverait le défi. Valérie est étrangère à tout cela. Elle veut continuer à vivre ici. Elle veut prendre soin des pousses d'arbres, elle veut marcher dans les parfums mêlés du seringa et du jasmin, du mimosa et du sureau, elle veut voir le visage de Clara penché sur ses livres ou sur des feuilles malades, avec le même égarement lumineux. Elle veut pendant mille ans entendre la voix rauque d'Isa lui dire « Salut ma vieille ». Elle veut voir l'épagneul se frotter aux jambes de Pablo. Elle veut écrire à Anne, ta femme, lui dire qu'elle va venir enfin, qu'elle veut rencontrer votre fille, voir la maison que tu lui as laissée et y dormir, lire tes livres, toucher la pierre de ta tombe et caresser ton prénom du bout des doigts. Mais l'autre est là, qui me tient, m'empêche de vivre, me harcèle, et je dois l'affronter, m'en débarrasser. Alors voilà ce que je vais faire : je vais envoyer Straub. C'est elle qui va se battre.

*

À cinq heures du matin, Straub se relève, s'asperge longuement le visage à l'eau froide, s'habille de vêtements souples, de hautes chaussures de marche. Elle démarre la camionnette et prend la direction de la forêt. Il y a du brouillard. Elle prend le chemin qu'elle n'a vu qu'une fois mais dont elle se souvient parfaitement, car elle sait qu'ils sont là, à l'attendre. Un double signal lumineux le lui confirme. Deux voitures sont à l'arrêt, en feux de route. Elle devine un 4X4 et une

BMW bleu pétrole. Elle descend. Son cœur bat très lentement, comme si elle dormait encore. Tout son corps est au repos, hormis ses yeux, et ses mains. Ce sont eux qui examinent l'arme. Cabon d'Astier a présenté ses deux témoins.

Fabrice de la Roche et Bernard Dièse, tous deux impeccablement mis. Elle n'a pas de témoin alors elle accepte Dièse comme assesseur.

Les trois hommes sourient tandis qu'elle inspecte le chargeur du tout nouveau Sig-Sauer 2022 que Cabon s'est procuré, un 9 mm.

– Il y a quinze balles. Vous voulez l'essayer avant ?

– Non.

– Alors mettez vous en place. Ce n'est pas un pistolet de tir sportif même s'il porte à cinquante mètres. Vous tirerez à vingt-cinq. Avec ce brouillard, ça vous laisse une chance, même si vous n'avez pas touché une arme depuis longtemps. Vous commencerez dos à dos. Au coup de klaxon, vous vous retournez et vous ouvrirez le feu l'un sur l'autre. Une seule balle. Puis de nouveau, même processus, jusqu'à ce que l'un abatte l'autre, explique Dièse d'une voix ouatée par la brume.

Cabon, après avoir manié le revolver, ne la quitte plus des yeux. Il la fixe à la façon d'un serpent, comme si elle était déjà morte.

En prenant place derrière la ligne des phares du 4X4, qui marquait sa limite, Straub se souvenait des leçons de tir avec Marc et Philippe, dans la forêt de Fontainebleau. Comme ils riaient. Elle était douée, douée pour tout, bien trop douée, disaient les amis de ses parents.

Le jour commençait à poindre timidement. Une corneille s'envola. Cabon s'était placé derrière la ligne de phares de la BM, qui matérialisaient la brume. Straub ne voyait plus que le dos massif de son adversaire. Elle se sentit ridicule, tout à coup, autant que cette situation. Alors elle se tourna à son tour, pour ne pas voir la scène et pour penser à Valérie qui regardait probablement l'aube se lever en préparant du café.

L'avertisseur sonna. Cabon se retourna plus vite que Straub et tira, jambes écartées, légèrement fléchies, la crosse bien calée dans sa paume gauche. La balle passa juste au dessus de l'épaule de Straub, touchant peut-être une mèche de cheveux. Elle leva l'arme à son tour, lentement, au bout de son bras profilé dans la ligne des épaules, respira, chassa toute pensée. Cabon se tenait dans la demi-pénombre. Ses mâchoires qu'elle devinait serrées n'empêchaient pas son corps de soudain tressaillir. Straub abaissa le Sig-Sauer et tira à terre parmi les feuilles et les aiguilles, puis se retourna de nouveau. Un rire fusa. Peut-être celui de Cabon, ou de la Roche. Au second coup de klaxon, Straub resta dos aux phares et à la balle qui frappa sous l'omoplate droit. Son front s'ouvrit sur un caillou. Elle entendait encore les pas des hommes s'approcher d'elle.

– Achève cette merde, dit Dièse.

*

Straub sent le souffle chaud d'un animal dans ses cheveux. Elle pivote, toujours allongée sur le sol. Le chevreuil aux bois epsilon la contemple avec bienveillance. Il s'écarte sans cesser de la regarder, l'invitant à le suivre. Straub se lève, se met à marcher derrière la croupe et la ligne parfaite du dos qui remonte jusqu'à la nuque de l'animal, percée d'un trou. Comme la première fois devant la voiture d'Isa, le pelage de la bête brille. Dans le dos de Straub, le sang coule. Ils arrivent jusqu'à la nationale. Le moteur d'un semiremorque qui s'arrête près de Straub fait fuir la bête. Elle ne distingue pas l'homme au volant mais côté passager le petit Simon lui sourit. La porte s'ouvre. Straub monte. Le camion repart dans une pulsation de tôle et de fumée, sur la route vide.

Valérie déambule dans la maison endormie. Seul l'épagneul réagit à son passage. Elle tente de se rappeler les poèmes de Yâzim Hikmet qu'elle se récitait en isolement. Chaque larme tombe sur un mot oublié.

« Tu as toujours été celle qui dit non. Si tu avais pu articuler un mot à ta naissance, c'aurait été celui-là. À défaut, c'est peut-être le premier que tu as su écrire. Ce cercle entre deux ponts, ouvert comme une bouche et en même temps bouclé sur lui-même, cerné sur sa droite et sur sa gauche, presque compressé. Un mot si simple et si étrange, à lire dans les deux sens, qui se suffit, complet, portant sa fin et son commencement. Ta petite main l'a sûrement tracé très vite, ta voix a dû très tôt le faire résonner de toutes ses nasales jusque sous ton front, à en donner la migraine. Les parents se sont sûrement étonnés de cette faculté à le dire, à le brandir, à te désigner par lui mieux encore que par ton prénom et le nom qu'on t'avait légué. Mais qui t'avait donné ce NON ? D'où tenais-tu sa force, sa résistance, sa solidité quasi tangible ? Il émanait avec une telle évidence de ton corps, de ton ventre, que tu l'avais sans doute trouvé, engendré toute seule.

Qu'est devenu ton non aujourd'hui Valérie ? Le prononces-tu encore ou l'as-tu enfermé jusque dans tes poumons qui tremblent, l'as-tu inscrit dans ta gorge tandis que ta main allume une cigarette de plus, la colle à tes lèvres, que ta bouche lance la fumée d'un non brûlé ? Je t'imagine arrivant avec Anne et notre petite fille dans ce hameau de cinq maisons, devant ce corps de ferme au large appentis où l'on abritait le foin. Ma fillette, ma Léna, s'envole pour aller se percher sur un puits obstrué par des planches. Une poule errante la contourne. Anne et toi vous dirigez vers un bâtiment vide et poussiéreux, au sol de terre battue mais dont les murs sont encore solides et la toiture refaite à neuf. Une ancienne grange. Elle peut servir. Le chiendent chatouille les jambes de

Léna. Sur la parcelle voisine, cet alignement de peupliers que j'aimais tant. Anne montre les arbres sur le terrain. Garder le chêne, là, et le pêcher à côté. Les trois pommiers ici sont presque morts. Trois tignasses grises, en triangle. Le tonnerre gronde au nord-ouest. Vous restez toutes les trois à contempler le ciel, instable depuis la veille, pâture de nuages en transhumance. Toutes trois presque aussi démunies que les premières femmes du monde, sous le ciel, dans la solitude de cette terre aux contours incertains, talus au sud, chemin communal au nord, haie de mûriers sauvages en guise de clôture. Au-delà, deux champs, l'un de sarrasin et l'autre de colza, ont été vendus par la famille, du côté de l'oncle Émile. Anne explique, évoque des gens que tu ne connais pas, que tu ne connais plus depuis si longtemps. Vous vous regardez avec timidité. Vous ne parlez pas de moi mais je suis là. Et je t'entends, Valérie, me dire oui, j'y suis aussi. »

## CHEZ LE MÊME ÉDITEUR

Annocque Philippe, *Liquide*
Annocque Philippe, *Monsieur Le Comte au pied de la lettre*
Balàka Bettina, *Murmures de glace*
Barlay Nick, *La Femme d'un homme qui*
Berger John, *La Tenda rouge de Bologne*
Bielski Nella, *C'était l'an 42*
Bourg Lionel, *L'Engendrement*
Bourg Lionel, *L'Horizon partagé*
Braverman Kate, *Lithium pour Médée*
Brinkmann Rolf Dieter, *Rome, regards*
Butlin Ron, *Le Son de ma voix*
Butlin Ron, *Visites de nuit*
Coe Jonathan, *B.S. Johnson, histoire d'un éléphant fougueux*
Cosnay Marie, *À notre humanité*
Decourchelle Denis, *La Persistance du froid*
Desalmand Paul, *Le Pilon*
Dümmel Karsten, *Le Dossier Robert*
Duplan Miguel, *Un long silence de carnaval*
Figes Eva, *La Version de Nelly*
Frering Marie, *Désirée*
Frering Marie, *L'Ombre des montagnes*
Gruenter Undine, *La Cache du Minotaure*
Gruenter Undine, *Le Jardin clos*
Herdman John, *Imelda*
Hochgatterer Paulus, *Brève histoire de pêche à la mouche*
Hochgatterer Paulus, *La Douceur de la vie*
Horton Victoria, *Grand Ménage*
Horton Victoria, *Attachements*
Jirgl Reinhard, *Les Inachevés*
Jirgl Reinhard, *Renégat, roman du temps nerveux*
Johnson B.S., *R.A.S. Infirmière-Chef, une comédie gériatrique*
Johnson B.S., *Christie Malry règle ses comptes*
Johnson B.S., *Chalut*
Johnson B.S., *Albert Angelo*
Johnson B.S., *Les Malchanceux*
Josipovici Gabriel, *Moo Pak*
Josipovici Gabriel, *Tout passe*
Josse Jacques, *Cloués au port*

Karpinski Michel, *La Sortie au jour*
Kharanaouli Besik, *Le Livre d'Amba Besarion*
Koumandarèas Mènis, *La Femme du métro*
Koumandarèas Mènis, *Le Beau Capitaine*
Lacroix Alain, *Constellation*
Lafargue Jérôme, *L'Ami Butler*
Lafargue Jérôme, *Dans les ombres sylvestres*
Lafargue Jérôme, *L'Année de l'hippocampe*
Lentz Michael, *Mourir de mère*
Meckel Christoph, *Portrait-robot. Mon père / Portrait-robot. Ma mère*
Mingels Annette, *Romantiques*
Padovani Stéphane, *La Veilleuse*
Perchan Robert, *La Chorée de Perchan*
Piersanti Claudio, *Enrico Metz rentre chez lui*
Rudan Vedrana, *Rage*
Sanconie Maïca, *Amor*
Sanconie Maïca, *De troublants détours*
Sanconie Maïca, *Le Bord du ciel*
Sotiropoulos Ersi, *Dompter la bête*
Terzian Pierre, *Crevasse*
Testa Bruno, *Dépression tropicale*
Testa Bruno, *L'Adoption*
Thomas David M., *Un plat de sang andalou*
Thomas David M., *Nos yeux maudits*
Trede Nils, *La Vie pétrifiée*
Verger Romain, *Zones sensibles*
Verger Romain, *Grande Ourse*
Verger Romain, *Forêts noires*
Vigna Olivier, *L'Appendice des jours*
Villemain Marc, *Le Pourceau, le Diable et la Putain*

Ysmal Catherine, *Irène, Nestor et la Vérité*
Zatèli Zyrànna, *Le Vent d'Anatolie*

Achevé d'imprimer par Pulsio.net en juin 2012
pour le compte de Quidam éditeur 5, rue Mansart 92190 Meudon
Dépôt légal mars 2012. Imprimé dans l'U.E.